easy - medium

Vol 1

MARTIN GASSELSBERGER

5 STEPS TO MUSIC

15 Piano-Hits zwischen Jazz, Pop und Klassik

Martin Gasselsberger (*1980) unterrichtet Jazzklavier am Landesmusikschulwerk in Oberösterreich und arbeitet freiberuflich als Pianist und Komponist weit über die Landesgrenzen hinaus. Er studierte an der Universität für Musik und darstellende Kunst Wien und schloss 2007 das Magisterstudium mit Auszeichnung ab.

In seiner Laufbahn hat er über 50 CDs eingespielt, Radioeinsätze – unter anderem mit seinem Trio „mg3" – erfolgten in Kanada, Japan, Australien sowie in den meisten Ländern Europas. Seine Konzerte brachten ihn neben vielen anderen Ländern auch nach China und Nepal – in Österreich wurde er aufgrund seines künstlerischen Aufstrebens vom Musikmagazin Concerto zweimal zu Österreichs Jazzmusiker des Jahres gekürt. Martin Gasselsberger arbeitet immer wieder an neuen künstlerischen und pädagogischen Konzepten, an welchen er viele Studierende und Lehrer/-innen in Fortbildungen und Workshops teilhaben lässt. 2017 entwickelte er gemeinsam mit dem Ausnahme-Saxophonisten Klaus Dickbauer die Playalong-App CHORDMILL (seit 2018 erhältlich für iPhone, iPad und alle Android-Smartphones und -Tablets).

Weitere Infos auf *www.gasselsberger.com* / *www.chordmill.com* / *www.5steps2music.com*

Impressum

D 710 / ISMN 979-0-50017-511-7 / ISBN 978-3-86849-338-2

Umschlaggestaltung: Manfred Pfandlbauer, Steyr
Notensatz: Regina Krauß, Speyer

www.dux-verlag.de

Vorwort

Als Musiker ist es mein Ziel, Werke zu komponieren, die sowohl die Pianist/-innen als auch das Publikum berühren und begeistern. Als Lehrer lege ich besonderen Wert auf einen möglichst hohen klavierpädagogischen Anspruch.
Mit 5 *Steps to Music* habe ich nun versucht, den Standpunkt des Musikers mit dem des Lehrers zu vereinen, also groovige Piano-Hits mit einem aufbauenden pianistischen Trainingsprogramm zu verbinden.
Keine Angst – es geht dabei nicht um trockene Theorie! Die Vorübungen stärken wichtige musikalische Bereiche (siehe „Pianistische Schwerpunkte“) und werden euch Spaß machen. Wiederholt dabei die einzelnen Abschnitte so oft, bis ihr euch sicher und wohl dabei fühlt – dann garantieren euch diese 5 Steps ein müheloses Erlernen der jeweils darauffolgenden Komposition.
Damit ihr nicht unnötig blättern müsst, sind die Vorübungen manchmal erst nach der Komposition abgedruckt.

Vierhändige Stücke kommen ebenfalls vor, genauso wie Kompositionen mit optionalen Improvisationsteilen. Einige Vorübungen liefern euch Tipps und Tricks für das freie Spiel. Hört euch auch die Aufnahmen an – sie stehen inklusive Improvisations-Playalongs online zur Verfügung (QR-Code/www.dux-verlag.de).

Nur wenn euch Üben und Spielen Spaß macht, findet ihr einen Weg in die Musik.
Ich hoffe, mit 5 *Steps to Music* dazu eine Hilfe zu geben.

Ich wünsche euch von Herzen viel Freude mit meinen Kompositionen!

Martin Gasselsberger

Inhaltsverzeichnis

Pianistische Schwerpunkte von *5 Steps to Music*

1 Unabhängigkeit
Das zentrale Thema in meinen Stücken! Alle diesbezüglichen Vorübungen können auch „verdreht" oder „gespiegelt" geübt werden (rechte Hand klopft den Rhythmus der linken Hand und umgekehrt).

2 Technik
Hier meist in Bezug auf Genauigkeit in den Tonlängen (z. B. *Thoughtful*), Übergreifen der linken Hand (z. B. *Powerbreak*), Fingersätze etc.

3 Rhythmik
Gerade diese Art von Musik lebt vom Rhythmus – besser gesagt vom Groove. Die Rhythmik in der rechten Hand kann bei einigen Übungen nach Gefühl verändert werden (z. B. *Car Horn Samba*).

4 Koordination links/rechts (l/r)
Die linke Hand braucht die rechte Hand und umgekehrt – und das bei allen Stücken in diesem Band! Deshalb müssen beide Hände immer aktiv sein und sich optimal ergänzen. Nach Möglichkeit also bitte nicht getrennt üben, sondern immer mit beiden Händen „grooven" (Paradebeispiel: *Groove Toccatina*).

5 Pedaltechnik
Einige Kompositionen klingen einfach besser mit Pedal. In den Vorübungen kann der Einsatz des Pedals in kurzen Abschnitten trainiert werden. Beginne unabhängig davon damit, beliebige einzelne Töne jeweils zum Zeitpunkt des Drückens der Taste mit dem Pedal „einzufangen" – dabei sollten vorherige Töne nicht mitklingen.

6 Phrasierung
Die diesbezüglichen „Steps" beschäftigen sich größtenteils mit dem Unterschied bzw. dem Wechsel zwischen „ternär" und „binär", also „swing" und „gerade" (*Welcome*, *Switch*). Manchmal wird in diesem Zusammenhang auch auf spezielle Artikulation (staccato, portato etc.) hingewiesen.

7 Improvisation
Fünf Stücke sind mit optionalen Improvisationsteilen versehen. In den Vorübungen lernst du Tipps und Tricks (z. B. bei *Boogie*). In anderen Fällen sollen dich die „Steps" zum freien Spiel im Fünftonraum, mit Dreiklangstönen, mit der Pentatonik oder auch mit schrägen Clustern und Klängen (*Car Horn Samba*) animieren.

8 Harmonik
Freie Teile sind mit Akkordsymbolen versehen. Der Bereich Harmonik befasst sich ausschließlich mit Dreiklängen und ihren Umkehrungen. Du kannst alle diesbezüglichen Vorübungen in allen Dreiklangspositionen (Grundstellung, 1. Umkehrung und 2. Umkehrung) probieren.

9 Originalpassage (aus der Komposition)
Sehr häufig kommt in den „5 Steps" eine Originalpassage aus der Komposition vor. Dies soll dir vor allem dabei helfen, die Schlüsselstellen der Stücke gleich im Vorfeld effektiv zu üben.

5 Steps to „Welcome“

1 Rhythmik, Koordination l/r – Achte auf die Tonlängen und den Fingersatz.

2 Unabhängigkeit – Der linke Fuß klopft zusätzlich Viertelnoten.

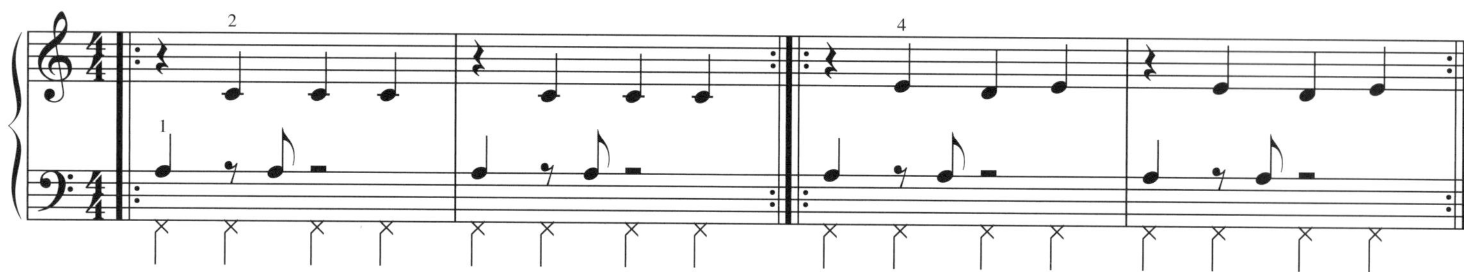

3 Phrasierung – Swing/triolisch: Versuche, zwischen „geraden Achteln“ und Swing zu wechseln.

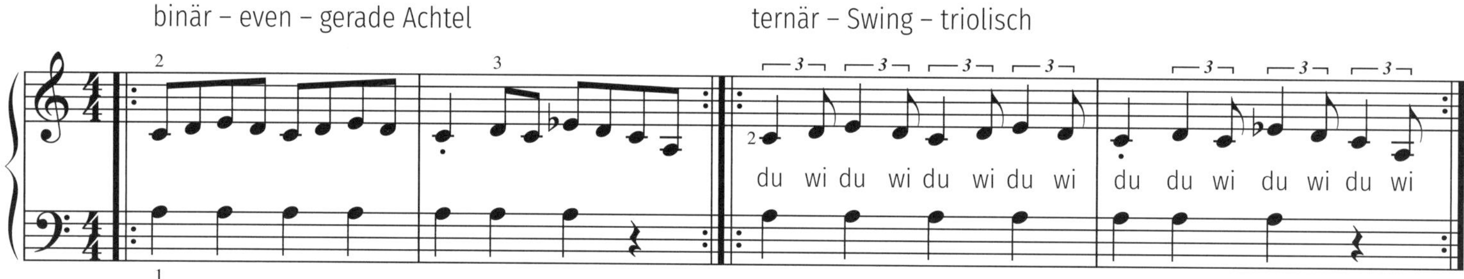

4 Phrasierung – Swing/triolisch: Bei „Welcome“ sind ganz „normale“ Achtelnoten notiert, die jedoch wahlweise auch im Swing-Rhythmus gespielt werden können.

5 Koordination l/r – Versuche auch hier, zwischen Swing und „geraden Achteln“ zu wechseln.

Welcome

Martin Gasselsberger

5 Steps to „Thoughtful“

1 Koordination l/r – Achte auf das ♯, es macht die Note um einen Halbton höher, also das F zum Fis.

2 Unabhängigkeit, Technik – Durch den Haltebogen bleibt das „kleine E“ in der linken Hand über 2 Takte liegen.

3 Unabhängigkeit – Die rechte Hand spielt nun Viertelnoten, also doppelt so schnell. Achte auf das ♭ in der linken Hand, es macht die Note um einen Halbton tiefer, also das H zum B.

4 Unabhängigkeit, Technik – Achte hier wieder auf die Tonlängen in der linken Hand.

5 Originalpassage – Hier bleibt der tiefste Ton jeweils nur einen Takt liegen.

Thoughtful

Martin Gasselsberger

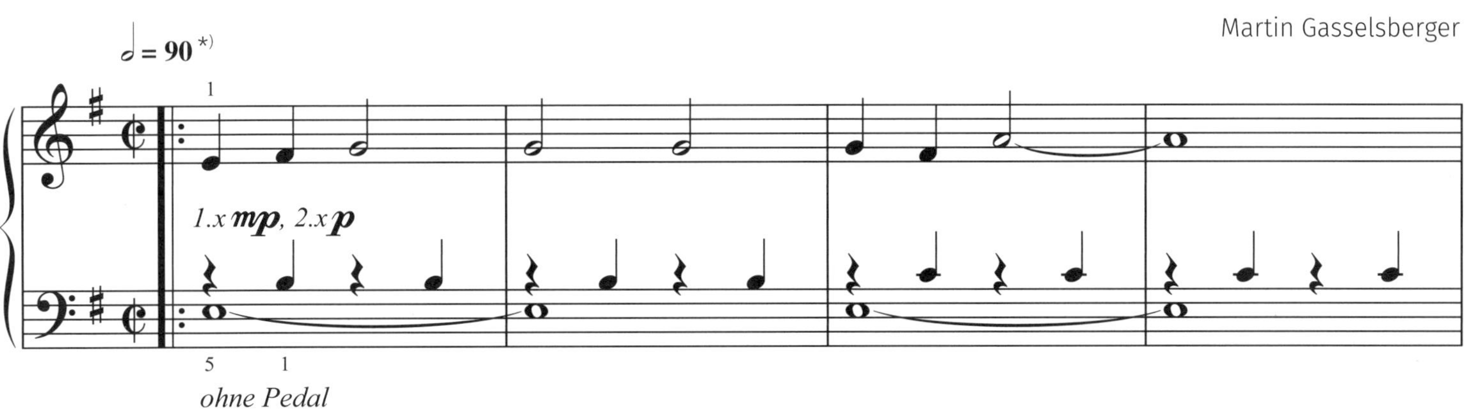

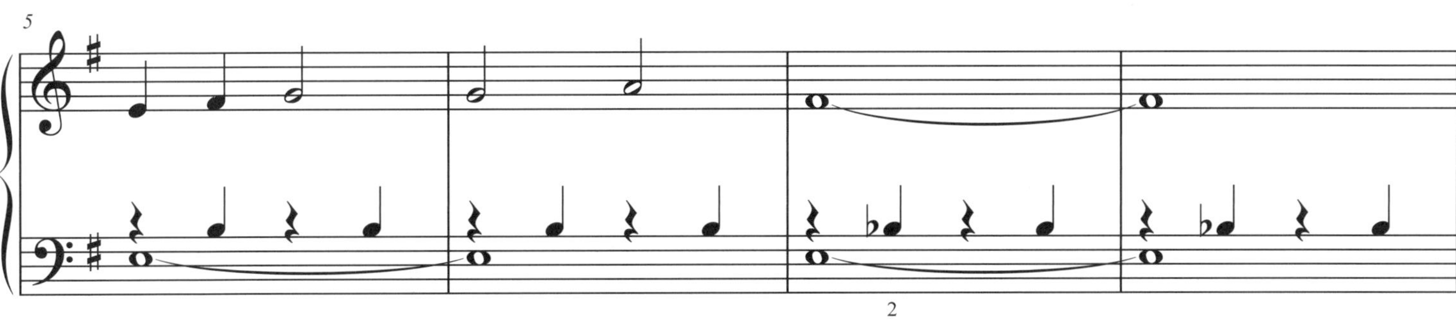

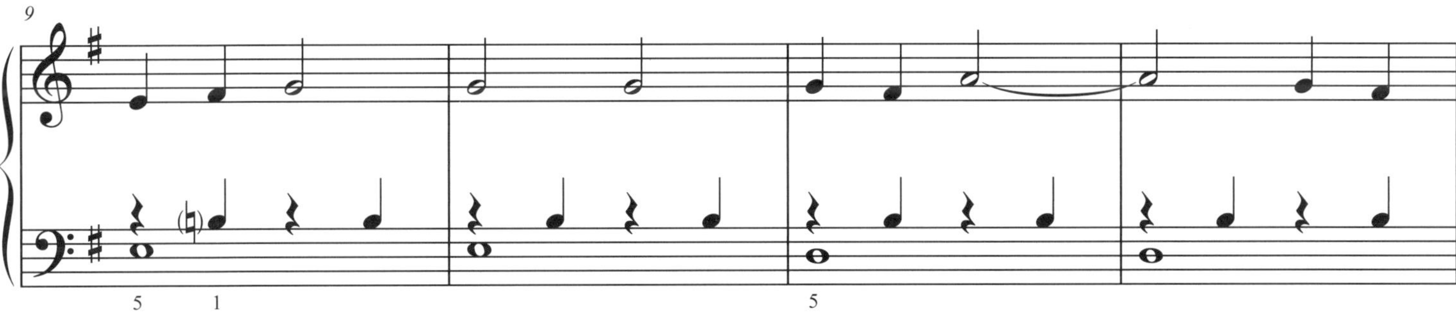

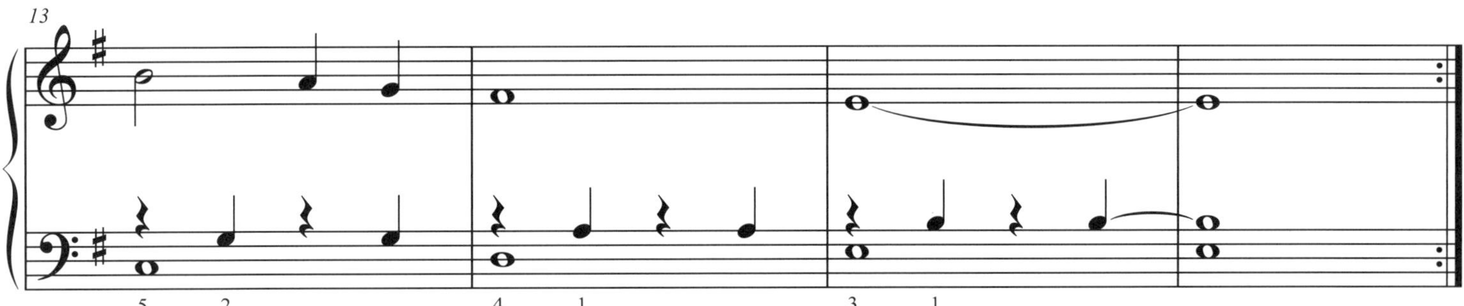

*) Diese und weitere Kompositionen von *5 Steps to Music* sind – bedingt durch ihr Originaltempo – im Gegensatz zu den Vorübungen im Alla-breve-Takt notiert

5 Steps to „Powerbreak“

1 Rhythmik, Unabhängigkeit – Klopfe den Rhythmus am Klavierdeckel, auf den Oberschenkeln oder verwende beliebige Töne und Klänge am Klavier.

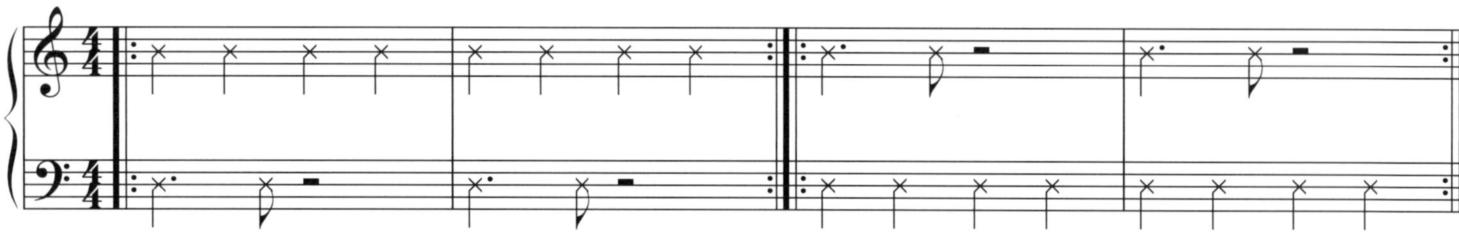

2 Rhythmik, Unabhängigkeit – Klopfe mit beiden Händen am Klavierdeckel. Der linke Fuß klopft dazu in Viertelnoten.

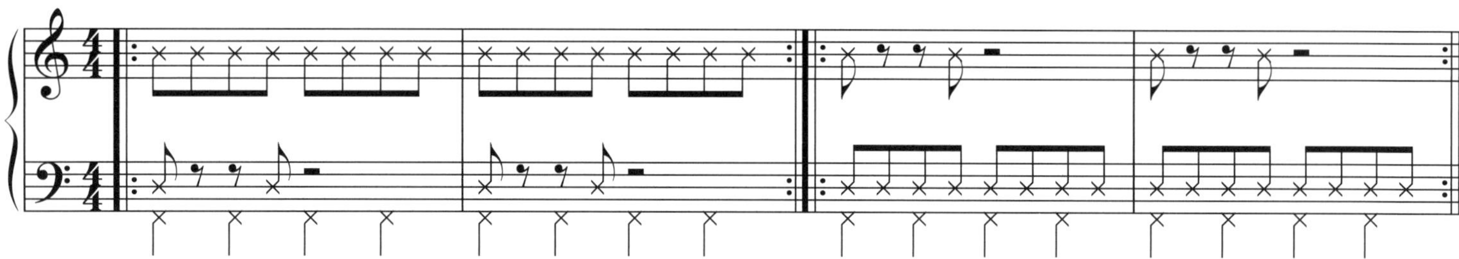

3 Harmonik – Dreiklänge (Grundstellung, 1. Umkehrung, 2. Umkehrung)

4 Originalpassage, Harmonik – Spiele die Dreiklänge auch in ihren Umkehrungen.

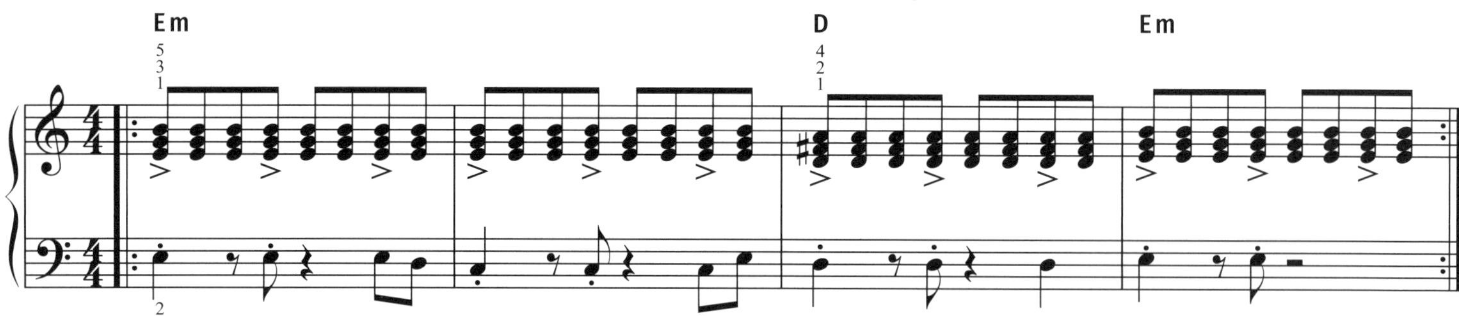

5 Originalpassage, Technik

Die linke Hand greift über die rechte Hand.

Beachte die Viertelpause auf Zählzeit 1 im 2. Takt!

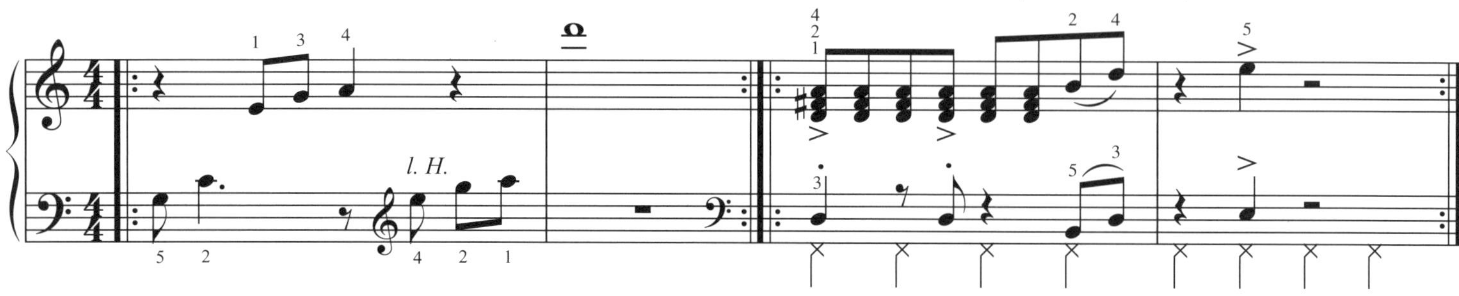

Der linke Fuß klopft in Viertelnoten.

Powerbreak

Martin Gasselsberger

Slow Rock

Martin Gasselsberger

mf
rit.

5 Steps to „Slow Rock“

1 Rhythmik, Unabhängigkeit – Die linke Hand klopft dabei am linken Oberschenkel, die rechte Hand am rechten.

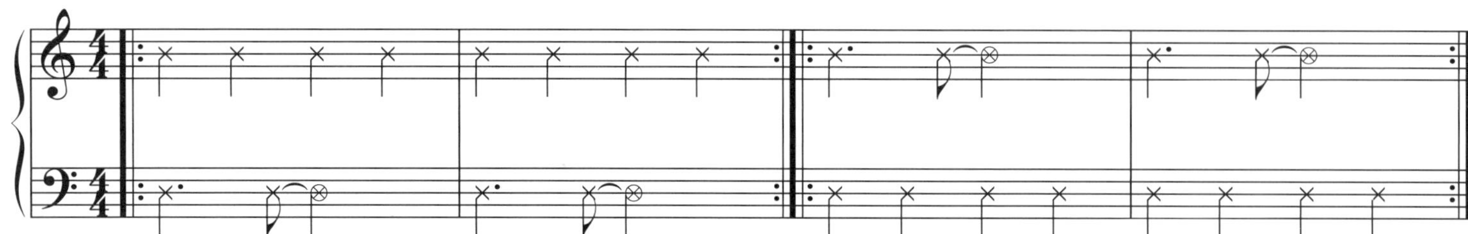

2 Originalpassage, Pedaltechnik – Betätige das Pedal exakt zum Zeitpunkt der Zählzeit 1 im Takt.

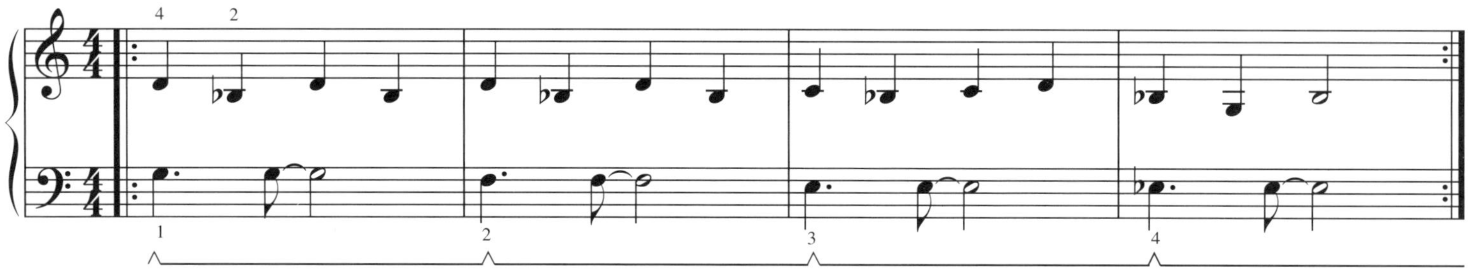

3 Unabhängigkeit, Technik – Verwende hier kein Pedal und achte auf die halben Noten in der rechten Hand.

4 Unabhängigkeit, Rhythmik – Die linke Hand klopft am linken Oberschenkel, die rechte Hand am rechten.

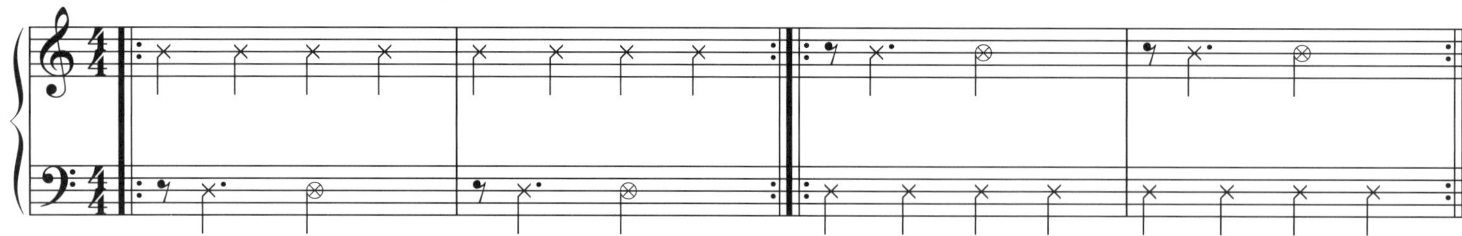

5 Pedaltechnik, Originalpassage – Hebe das Pedal exakt zum Zeitpunkt der Zählzeit 1 im Takt (im Takt 4 auch auf die Zählzeit 3).

5 Steps to „4 On The Floor“

1 Unabhängigkeit, Rhythmik – Klopfe den vorgegebenen Rhythmus am Klavierdeckel. Du kannst aber auch beliebige Töne, Cluster und Dreiklänge am Klavier verwenden.

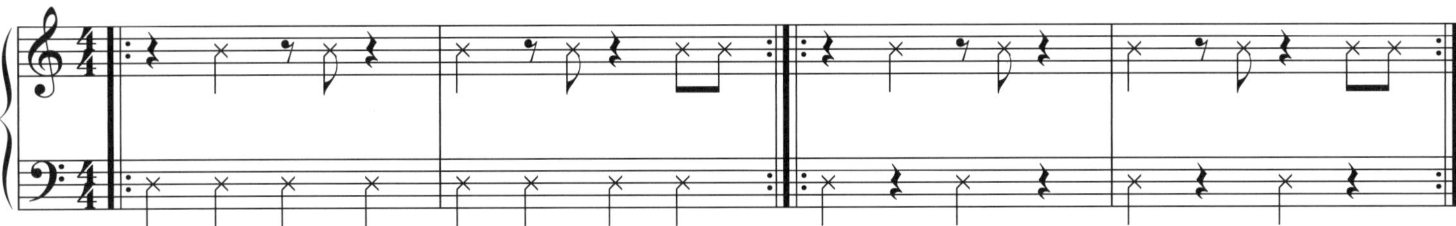

2 Unabhängigkeit, Originalpassage, Phrasierung – Achte auf die Phrasierung (*portato* links, *staccato* rechts).

portato – nicht zu kurz, jedoch deutlich voneinander getrennt

3 Unabhängigkeit, Originalpassage, Phrasierung – Die Viertelnoten der rechten Hand werden sehr kurz gespielt.

4 Originalpassage, Pedaltechnik – Das Pedal wird diesmal exakt auf die Zählzeit 4 (Takt 2 und 4) betätigt.

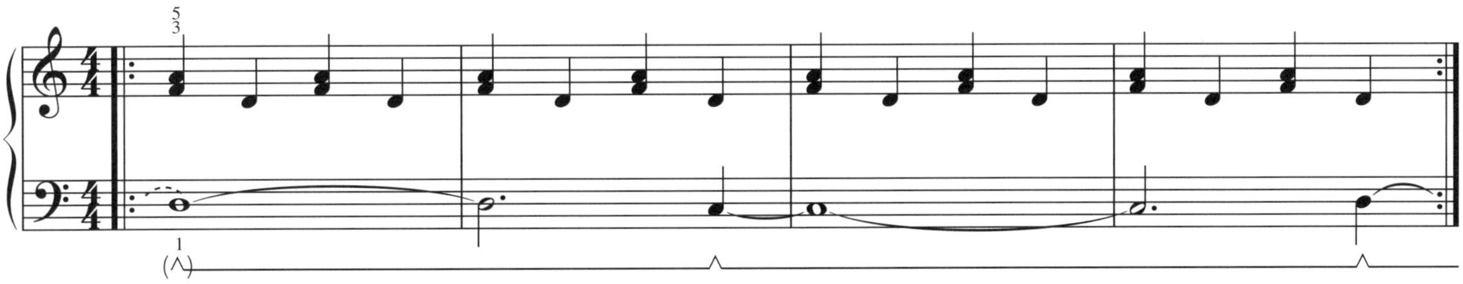

5 Unabhängigkeit, Originalpassage, Pedaltechnik – Beachte das Staccato in der linken Hand zum Zeitpunkt des Pedalhebens.

4 On The Floor

Martin Gasselsberger

23
p
cresc.
28
mf
33
f
ohne Pedal
37
subito p
cresc.
41
f
45

Daybreak

Secondo

Martin Gasselsberger

Daybreak

Primo

Martin Gasselsberger

The Clown

Martin Gasselsberger

mf
p
a tempo
rall.
mp
rit.
Fine
Impro optional
Am
open
D.S. al Fine

5 Steps to „The Clown“

1 Rhythmik, Unabhängigkeit, Technik – Achte auf die Länge des Grundtons A in der linken Hand.

2 Pedaltechnik, Originalpassage – Betätige das Pedal jeweils exakt auf die Zählzeit 1 im Takt.

3 Pedaltechnik, Originalpassage – Beachte die Versetzungszeichen in der linken Hand.

4 Pedaltechnik, Originalpassage, Technik – Achte auf die Fingersätze und hebe die Melodie in der rechten Hand hervor.

5 Improvisation – Erfinde deine eigenen Melodien im Fünftonraum oder mit den Tönen der A-Moll-Tonleiter.

Fünftonraum

A-Moll-Tonleiter.

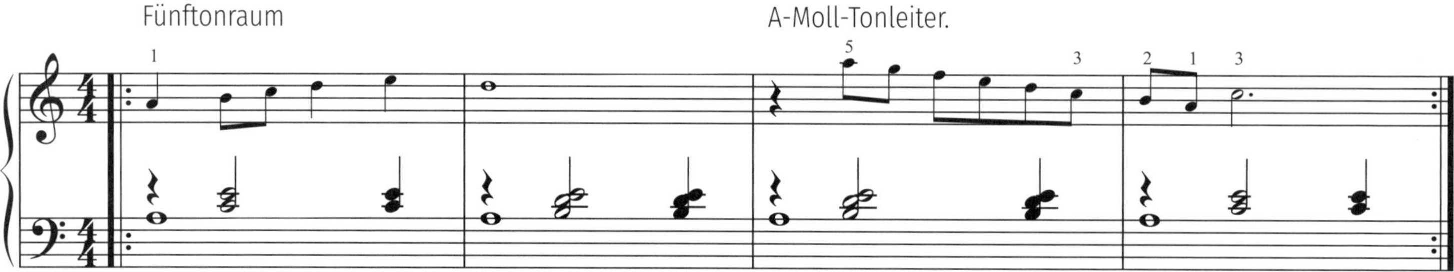

5 Steps to „Robot Dance“

1 Rhythmik, Koordination l/r, Unabhängigkeit – Diesmal klopfen nicht nur die Hände, sondern auch die Füße!

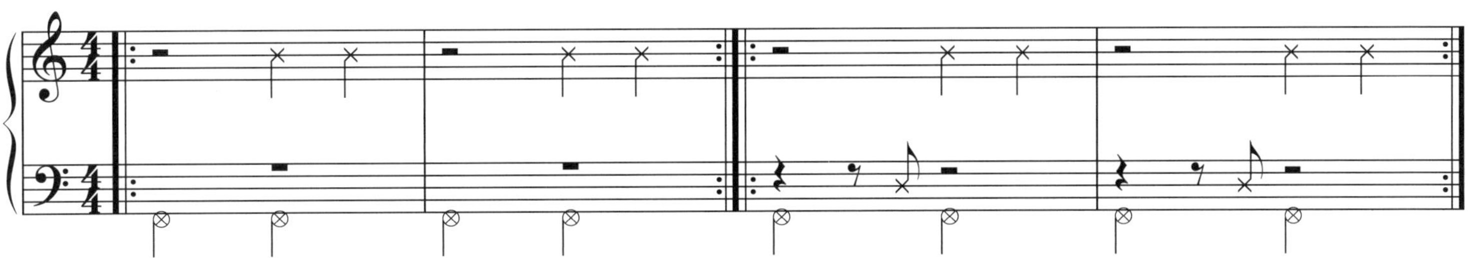

2 Rhythmik, Originalpassage, Phrasierung – Alle Töne werden sehr kurz gespielt (staccato).

3 Rhythmik, Unabhängigkeit, Phrasierung – Hebe die Töne auf der Zählzeit 3 besonders hervor (marcato).

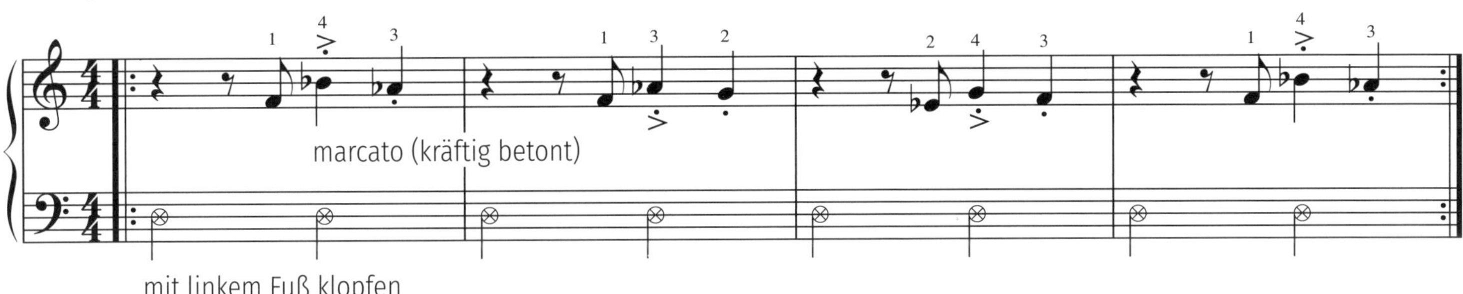

4 Originalpassage – Achte auf die Fingersätze und die Phrasierung.

5 Unabhängigkeit, Koordination l/r – „Spiele“ mit Händen und Füßen.

Robot Dance

Martin Gasselsberger

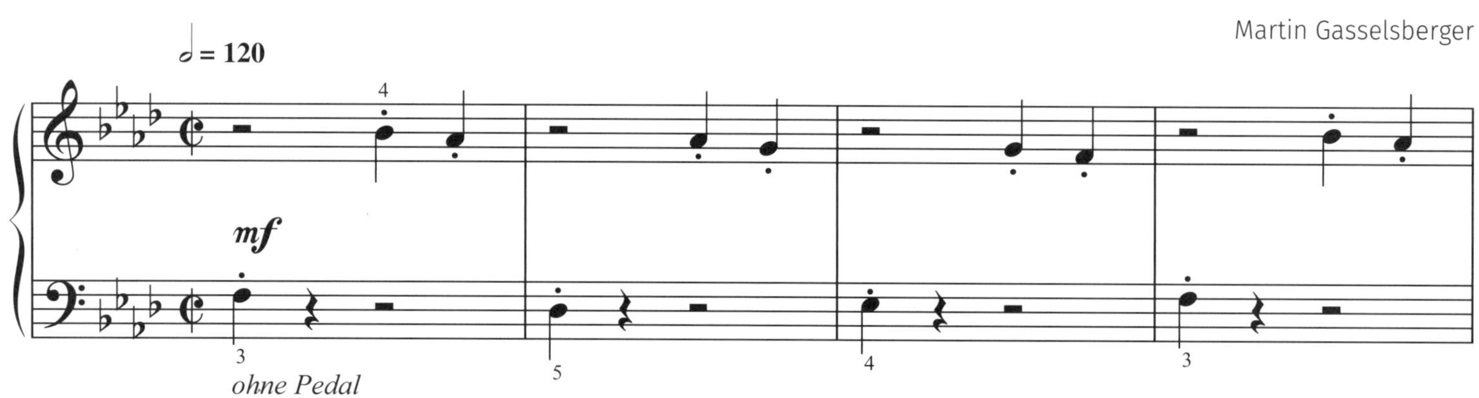

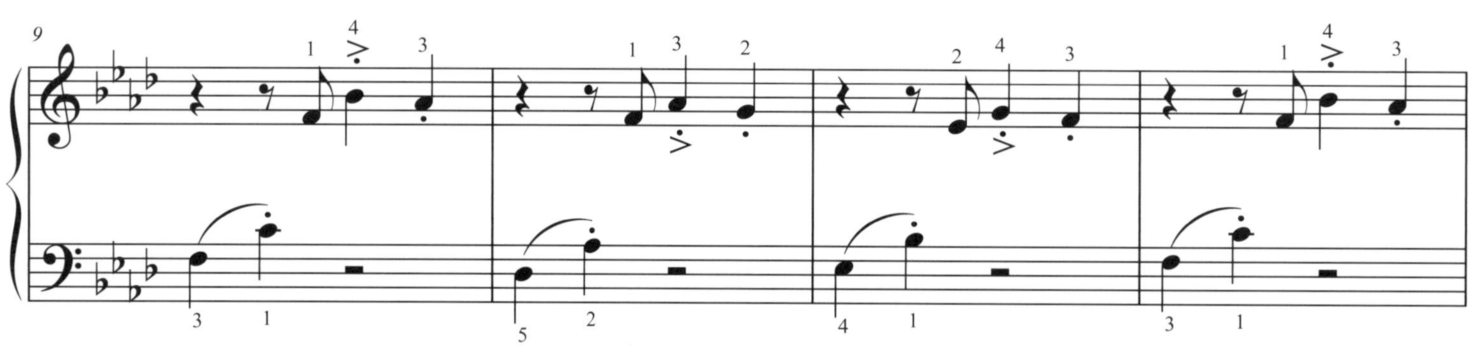

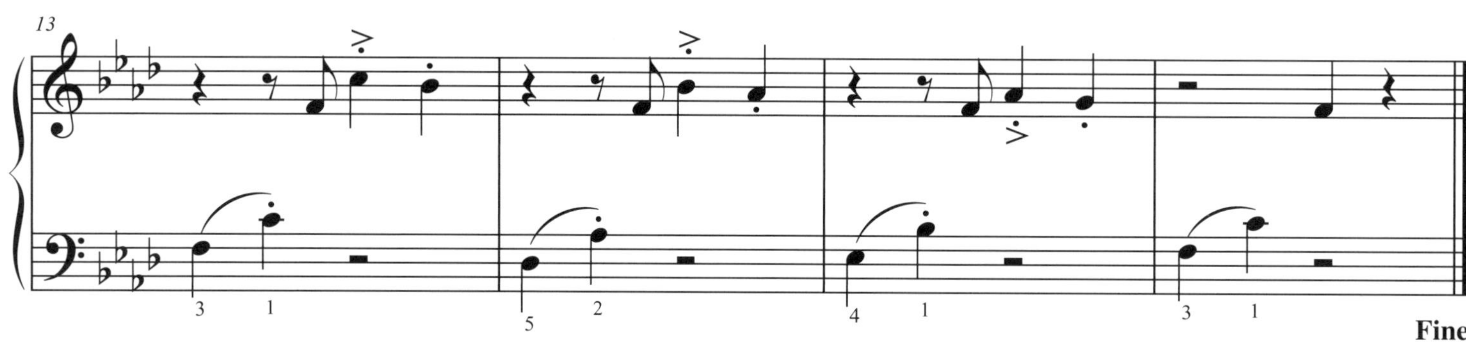

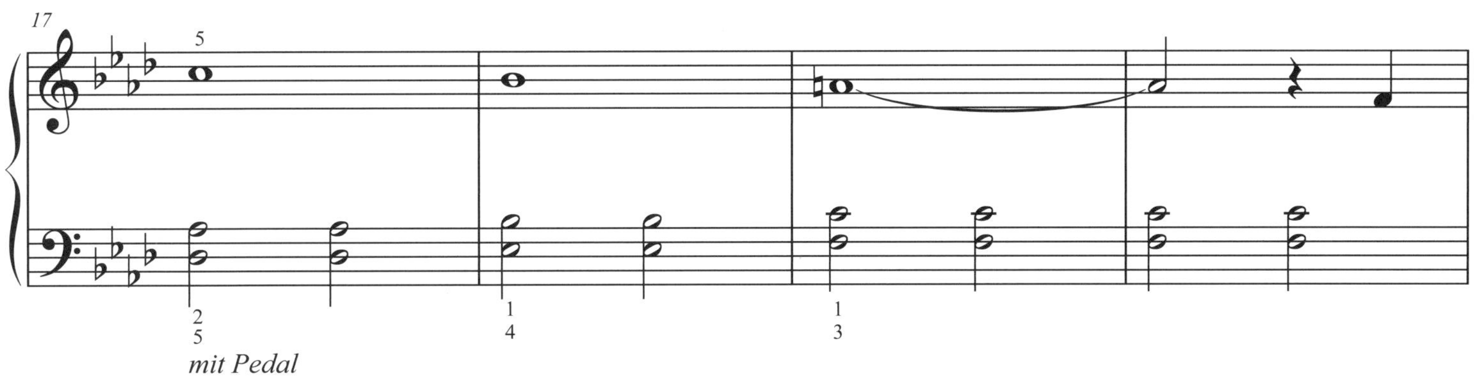

D.C. al Fine

Lightsome

Martin Gasselsberger

p
D.C. al
p
mp
rit.

5 Steps to „Lightsome“

1 Koordination l/r, Rhythmik – Betone immer die erste Achtel der Dreiergruppe (Zählzeit 1 und 4).

2 Rhythmik, Unabhängigkeit – Übe zuerst Takt 1 und 2 im Kreis, dann Takt 3 und 4. Versuche anschließend, die ganze Zeile in einem durchzuspielen.

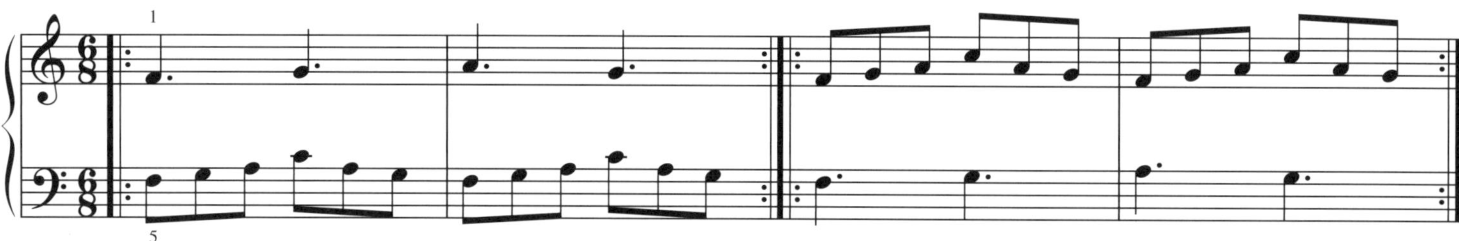

3 Pedaltechnik – Betätige das Pedal jeweils exakt auf die Zählzeit 1.

4 Pedaltechnik, Koordination l/r – Achte auf die Betonung in der rechten Hand (marcato).

5 Originalpassage – Hier ist auch die linke Hand im Violinschlüssel notiert.

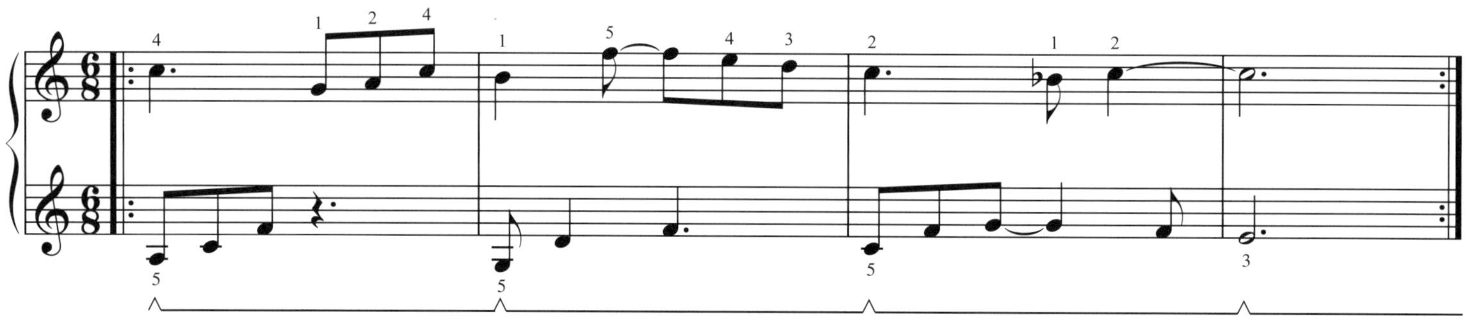

5 Steps to „Car Horn Samba"

1 Unabhängigkeit, Rhythmik – Die rechte Hand klopft den Rhythmus (z. B. am Klavierdeckel).

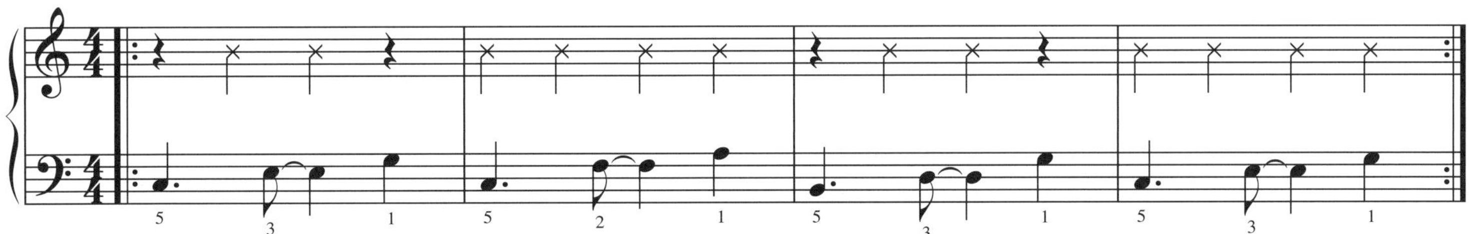

2 Harmonik – Dreiklänge und ihre Umkehrungen: Grundstellung (Gst.), 1. Umkehrung (1. Uk.), 2. Umkehrung (2. Uk.)
In Takt 3 findest du das Akkordsymbol **G/B:** In der Popularmusik ist B die internationale Schreibweise für H.

F-Dur-Dreiklang über „C" G-Dur-Dreiklang über „H"

3 Rhythmik, Harmonik – Du kannst den Rhythmus in der rechten Hand beliebig verändern. Starte auch mit einer anderen Umkehrung und wähle die folgenden Dreiklänge so, dass deine Finger möglichst kurze Wege gehen.

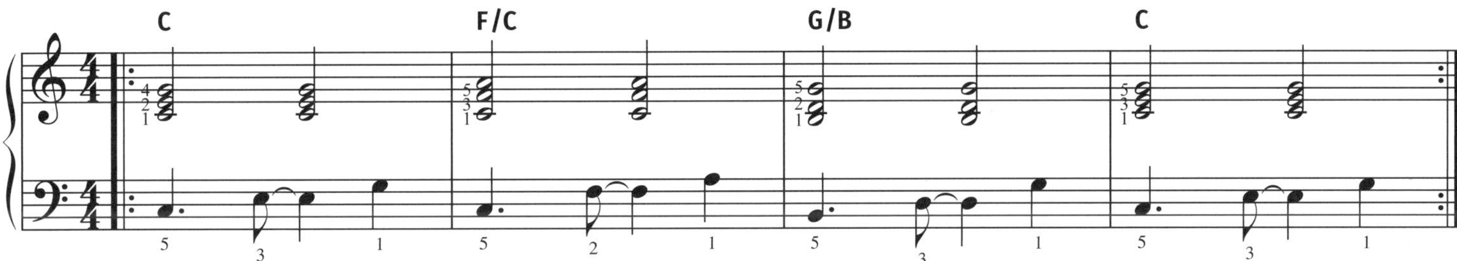

4 Originalpassage – Achte auf die vielen Versetzungszeichen: Das F wird zu Fis, das E wird zu Eis, das C wird zu Cis (internationale Schreibweise C♯).

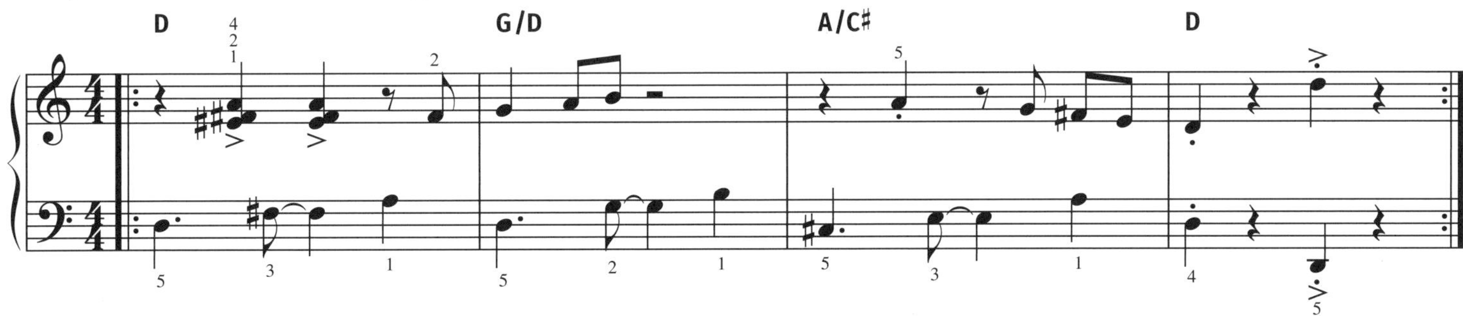

5 Improvisation – Erfinde deinen eigenen Rhythmus in der rechten Hand. Bilde deine Melodien mit den Tönen der jeweiligen Dreiklänge.

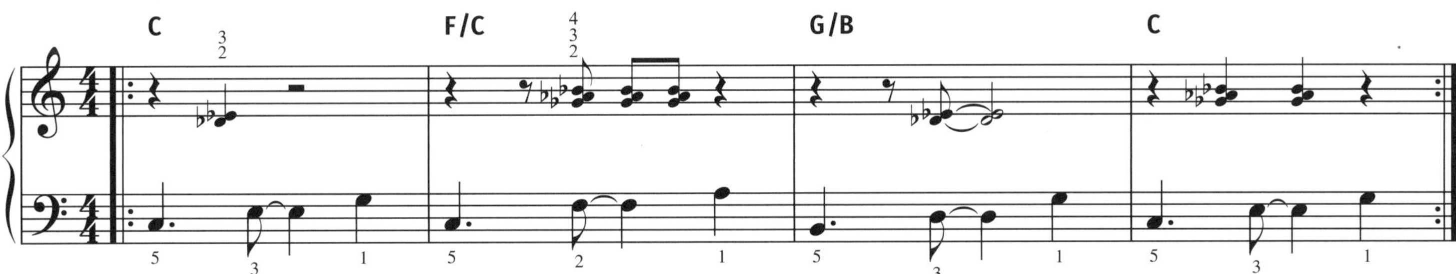

Car Horn Samba

Martin Gasselsberger

mf
f
Fine
Impro
Rhythmisch frei mit möglichst schrägen Tönen und Clustern ein Hupkonzert erzeugen!
C
F/C
G/B
C
open
D.C. al Fine

Blues 4 2

Secondo

Martin Gasselsberger

Blues 4 2

Primo

Martin Gasselsberger

17
E♭7
B♭7
21
F7
E♭7
B♭7
F7
25
8vb
29
33
clap

E♭7
B♭7
F7
E♭7
B♭7
F7
8va
clap

Boogie!

Martin Gasselsberger

18
C7
G7
22
D7
C7
G7
1.
open
last time
G7
D7
G7
27
31
35

5 Steps to „Boogie!“

1 Technik, Improvisation – Hier ein „Boogie-Lick“ für die Takte 1–4 der Improvisation. Ein „Lick“ ist eine instrumentale Phrase in der Jazz-, Pop- und Rockmusik. Achte auf den kurzen Vorschlag in der rechten Hand.

2 Phrasierung, Improvisation – Viel Spaß mit einem Lick für die Takte 5–8 der Improvisation. Achte auf das Staccato in der rechten Hand.

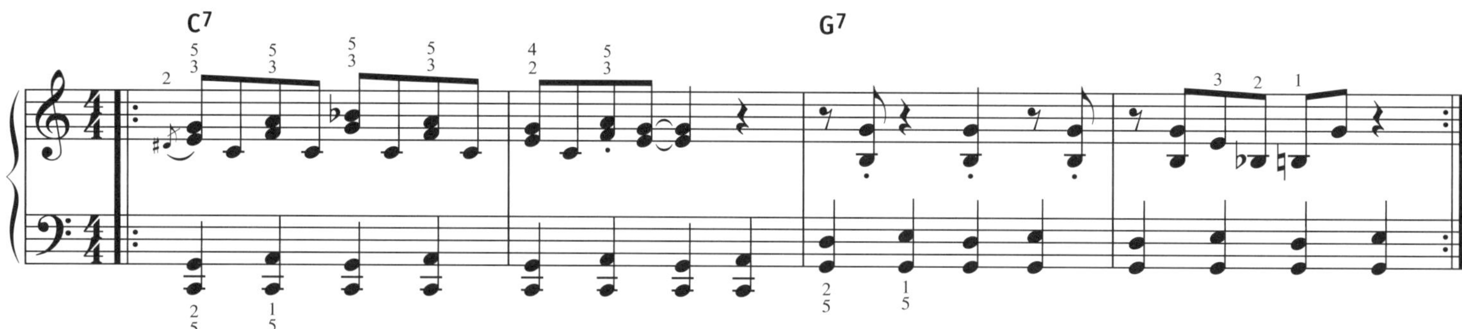

3 Technik, Improvisation – Hier ein Lick für die letzten 4 Takte (9–12) der Improvisation. Beachte den Fingersatz. Die Steps 1–3 ergeben einen kompletten Improvisationsteil.

4 Technik, Improvisation – Viel Spaß mit weiteren Licks und Tricks zum Zeitpunkt des Akkords **G7**!

5 Improvisation – Viel Spaß mit weiteren Licks und Tricks zum Zeitpunkt der Akkorde **C7** und **D7**!

5 Steps to „Switch“

1 Phrasierung – Die Achtelnoten sind „gerade“ (binär) notiert, werden jedoch in diesem Fall triolisch (ternär) gespielt.

2 Phrasierung – Versuche, zwischen ternär und binär zu wechseln.

3 Phrasierung – Beachte den neuen Rhythmus in der linken Hand.

4 Originalpassage, Phrasierung – Trainiere den Wechsel zwischen ternär und binär mit dieser Passage aus „Switch“.

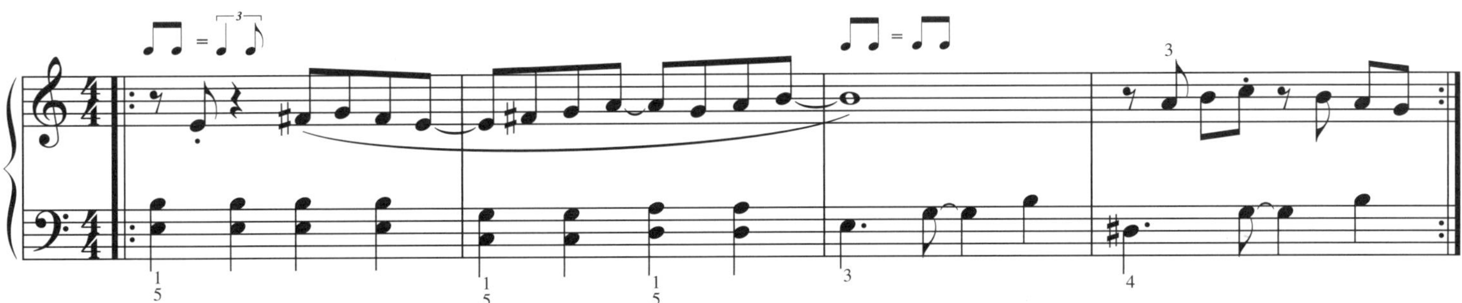

5 Improvisation – Erfinde deine Melodien im Fünftonraum oder mit den Tönen der E-Moll-Pentatonik.
(oder)

Switch

Martin Gasselsberger

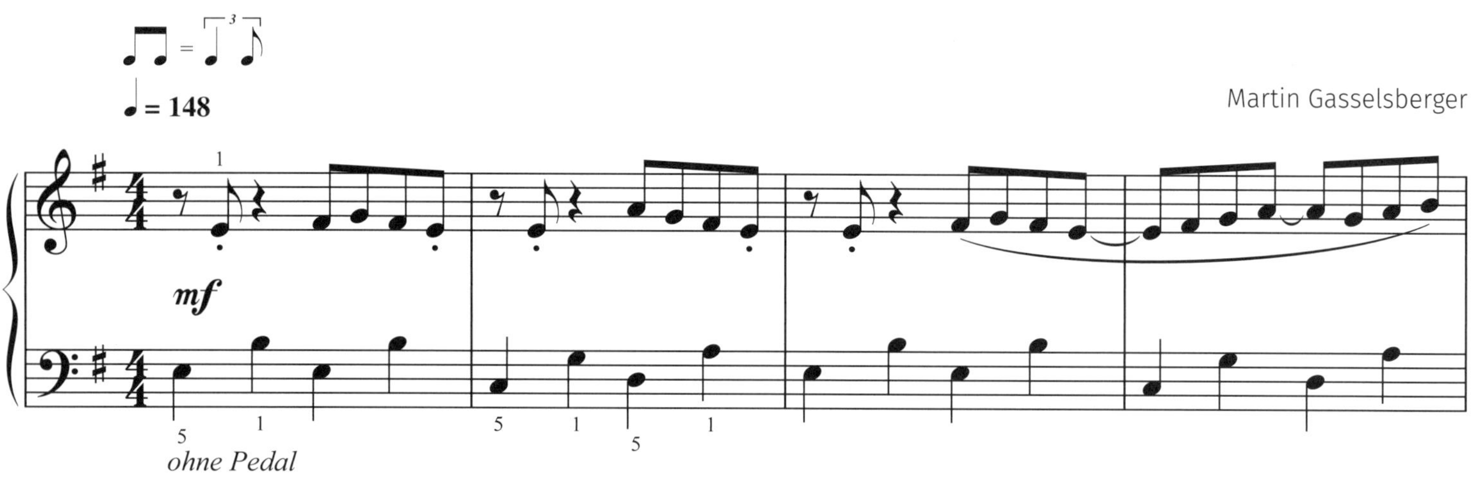

Impro optional

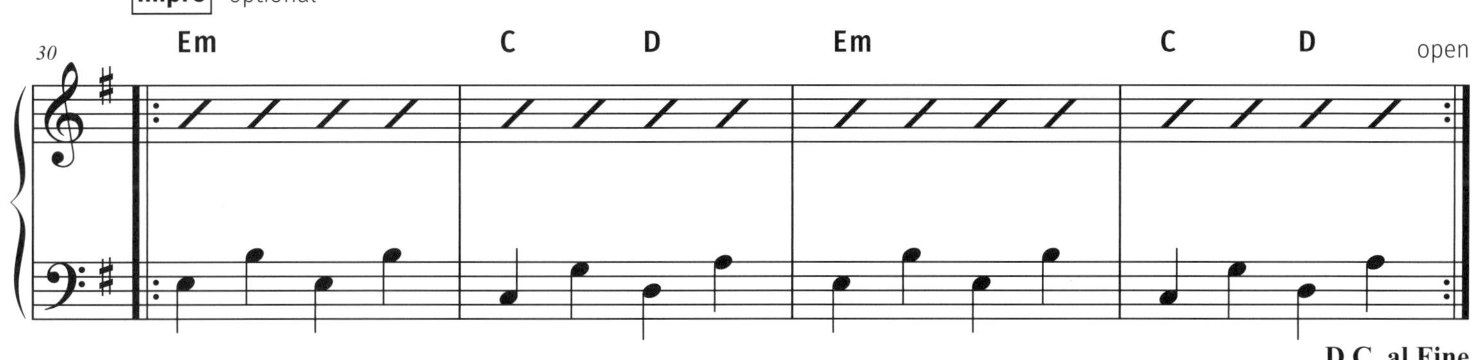

5 Steps to „Groove Toccatina“

1 Koordination l/r, Rhythmik, Phrasierung – Achte auf die Fingersätze und die Phrasierung (staccato).

2 Koordination l/r, Rhythmik – Beginne nicht zu schnell und steigere behutsam das Tempo.

3 Rhythmik, Unabhängigkeit – Die rechte Hand klopft am Klavierdeckel.

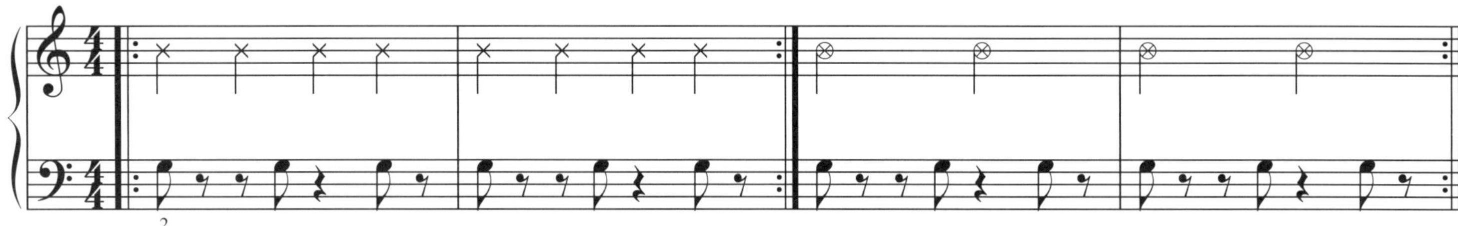

4 Koordination l/r, Rhythmik – Steigere behutsam das Tempo.

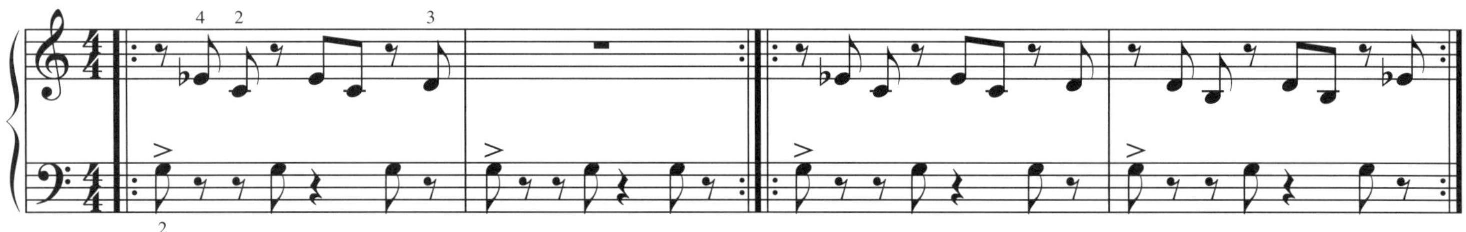

5 Originalpassage, Technik – Achte auf die Fingersätze.

Groove Toccatina

Martin Gasselsberger

Lasting Peace

Secondo

Martin Gasselsberger

Lasting Peace

Primo

Martin Gasselsberger

21
25
29
33
pp
39
cresc.
mp
45
rit.

decresc.
pp
cresc.
mp
rit.